ADMINISTRAÇÃO REGIONAL DO SENAC
NO ESTADO DE SÃO PAULO
Presidente do Conselho Regional
Abram Szajman
Diretor do Departamento Regional
Luiz Francisco de A. Salgado
Superintendente Universitário e de Desenvolvimento
Luiz Carlos Dourado

EDITORA SENAC SÃO PAULO
Conselho Editorial
Luiz Francisco de A. Salgado
Luiz Carlos Dourado
Darcio Sayad Maia
Lucila Mara Sbrana Sciotti
Jeane Passos de Souza

Gerente/Publisher
Jeane Passos de Souza
Coordenação Editorial
Márcia Cavalheiro Rodrigues de Almeida
Comercial
Marcelo Nogueira da Silva
Administrativo
Luís Américo Tousi Botelho

Pesquisa e Consultoria
Rusty Marcellini
Fotografias
Mauro Holanda
Produção e Ambientação de Fotografias
Beth Freidenson
Assistente de Produção de Fotografias
Lucas Azevedo
Edição e Preparação de Texto
Adalberto Luís de Oliveira
Revisão de Texto
Karinna A. C. Taddeo, Bianca Rocha,
Viviane Soares Aguiar, Gabriela L. Adami
Projeto Gráfico e Editoração Eletrônica
Antonio Carlos De Angelis
Impressão e Acabamento
Coan Indústria Gráfica Ltda.

EDITORA SENAC SÃO PAULO
Rua 24 de Maio, 208 – 3º andar
Centro – CEP 01041-000
Caixa Postal 1120 – CEP 01032-970 – São Paulo – SP
Tel. (11) 2187-4450 – Fax (11) 2187-4486
E-mail: editora@sp.senac.br
Home page: http://www.editorasenacsp.com.br

Proibida a reprodução sem autorização expressa.
Direitos desta edição no Brasil reservados à
Editora Senac São Paulo, 2016
Receitas © 2016 Editora Senac São Paulo

MAURICIO DE SOUSA EDITORA
Presidente
Mauricio de Sousa
Diretoria
Alice Keico Takeda
Mauro Takeda e Sousa
Mônica S. e Sousa
Direção de Arte
Alice Keico Takeda
Diretor de Licenciamento
Rodrigo Paiva
Coordenadora Comercial Editorial
Tatiane Comlosi
Analista Comercial
Alexandra Paulista
Editor
Sidney Gusman
Roteiro das Tiras
Robson Barreto de Lacerda
Revisão
Ivana Mello
Editor de Arte
Mauro Souza
Coordenação de Arte
Irene Dellega, Nilza Faustino,
Maria Ap. Rabello, Wagner Bonilla
Arte-final
Clarisse Hirabayashi, Romeu T. Furusawa,
Rosana Valim
Assistente de Departamento Editorial
Regiane Moreira
Desenho
Emy T. Y. A. Costa, Anderson Nunes,
José Ap. Cavalcante
Cor
Marcelo Conquista, Mauro Souza
Designer Gráfico
Mariangela Saraiva Ferradás
Supervisão Geral
Mauricio de Sousa

*Mauricio de Sousa é membro da
Academia Paulista de Letras (APL)*

MAURICIO DE SOUSA EDITORA
Rua do Curtume, 745 – Bloco F
Lapa – São Paulo – SP – CEP 05065-900
Tel.: (11) 3613-5000
Ilustrações e Textos © 2016 Mauricio de Sousa e
Mauricio de Sousa Editora Ltda. Todos os direitos
reservados. www.turmadamonica.com.br

Dados Internacionais de Catalogação na Publicação (CIP)
(Jeane Passos de Souza - CRB 8ª/6189)

Rueda, Jefferson
 A cozinha caipira do Chico Bento / Jefferson Rueda, Mauricio de Sousa; fotos de Mauro Holanda. – São Paulo: Editora Senac São Paulo, 2016.

 ISBN 978-85-396-1079-2

 1. Gastronomia 2. Culinária Brasileira I. Sousa, Mauricio de. II. Holanda, Mauro. III. Título.

16-399s	CDD 641.5981
	BISAC CKB099000

Índice para catálogo sistemático:
1. Gastronomia : Culinária Brasileira   641.5981

A COZINHA CAIPIRA DO CHICO BENTO

Jefferson Rueda
Mauricio de Sousa

Sumário

NOTA DOS EDITORES, 9

O MUNDO DO CHICO BENTO, 12
Paçoca de carne-seca, 14
Nhoque de batata-doce roxa na manteiga e sálvia, 17
Arroz mexidinho, 18

O PRIMEIRO DIA DE AULA, 20
Farnel de cuscuz de galinha, 23
Arroz com suã, 24
Macarrão com molho de moela, 26
Arroz-doce, 29

PEGANDO IÇÁS, 30
Farofa de içá, 32

UM DIA DE PESCARIA, 34
Jacuba, 37
Lambari empanado com fubá de milho, 38

VIVA SANTO ANTÔNIO, SÃO PEDRO E SÃO JOÃO!, 40
Pé de moleque, 42
Canjica com amendoim, 45
Bolinho de mandioca com queijo, 47
Canjiquinha com costelinha de porco, 48
Quentão para crianças, 50

PERDIDO NO MILHARAL, 52
Pamonha com codeguim, 54
Pudim de milho-verde, 57
Curau com caruru, 58

HOJE É DIA DE MERCADO!, 60
Pastel de milho com carne cozida, 62

GOIABA, CHICO!, 64
Goiabada cascão com requeijão, 66
Bolo de fubá com goiabada, 68

A VISITA DO PRIMO ZECA, 70
Carne de porco na lata, 72
Sorvete de cambuci, 74
Arroz de rabada, 76
Macarrão com molho de tomate, 78
Feijão com codeguim e mostarda, 81
Afogado ou "fogado", 82

NATAL NA ROÇA, 84
Leitoa assada, 86
Vaca atolada, 88
Rabanada, 90
Doce de figo verde em calda, 93
Doce cristalizado de abacaxi, 94
Doce de banana, 96
Furrundum, 99
Doce de batata-doce roxa ou branca, 100

UMA CANJA PRA VOVOZINHA, 102
Canja de galinha caipira, 104

NASCEU NA HORA CERTA!, 106
Arroz com feijão e gema de ovo, 108
Galinha ao molho pardo, 111

MUDANÇA DE PLANOS, 112
Dobradinha com pão, 114
Virado à paulista, 117

SOBRE O AUTOR, 119

AGRADECIMENTOS, 120

ÍNDICE DE RECEITAS, 120

Nota dos editores

Chico Bento é pé no chão, chapéu de palha, moda de viola e muita vitalidade. Representa uma ingenuidade perdida nos tempos de nossa infância e, por isso mesmo, recuperar um pouco de sua imagem é revigorar em nós essa pureza um tanto tímida diante da avalanche das "recomendações" sociais do que é certo ou justo. Vê-lo à cata das içás ou num pé de goiaba, a se esbaldar nos frutos maduros, é como a entrada de ar fresco nas salas herméticas dos edifícios das cidades.

Mas não é apenas isso que o Chico traz em sua merenda. Tem a comida típica da comunidade rural, o leitão, o milho-verde, a paçoca, o amendoim, o pé de moleque, o cambuci, o sabor da canjiquinha, do fubá, do arroz-doce... e uma lista de receitas de que o nosso caipirinha gosta e que pode ser feita na cozinha da cidade, graças às habilidades do *chef* Jefferson Rueda.

O cuidado das ilustrações dos estúdios de Mauricio de Sousa e as fotos presentes no livro captam o espírito das cidades do interior, com os seus utensílios ou objetos característicos e, principalmente, o seu calor. Vale recordar que as fotos buscam mostrar essa "realidade" – transformada pelo olhar artístico de Mauro Holanda – e não indicam um padrão de modo de preparo ou uma recomendação culinária.

Lançamento do Senac São Paulo e da Mauricio de Sousa Editora, *A cozinha caipira do Chico Bento* possibilita que o imaginário e a cultura gastronômica do interior de muitas cidades do Brasil encontrem eco em nossas mesas e nos façam recordar de um tempo mais puro, constituindo um estímulo à busca de uma cozinha mais natural.

Paçoca de carne-seca

INGREDIENTES
500 g de carne-seca
120 ml de óleo
20 g de alho batido
250 g de farinha de milho torrada
Sal a gosto

MODO DE PREPARO

1 Corte a carne-seca em cubos grandes e deixe de molho em água de um dia para o outro. Durante o processo de dessalga, troque a água pelo menos duas vezes. Retire a carne da água e seque-a bem. Reserve até que esteja fria.

2 Aqueça o óleo em uma panela grande. Junte, aos poucos, os pedaços de carne-seca e frite-os até ficarem sequinhos. Reserve.

3 Em uma frigideira, refogue o alho, em um fio de óleo, até dourar.

4 Coloque alguns cubos da carne-seca em um pilão grande de madeira. Soque com o pilão até a carne ficar bem dissolvida.

5 Junte o restante da carne e repita o processo.

6 Por fim, acrescente ao pilão o alho e a farinha de milho torrada. Soque sem parar, remexendo a mistura apenas ocasionalmente. Quando a paçoca estiver sem grumo algum, experimente o sal. Se necessário, junte mais uma pitada.

7 Retire a paçoca do pilão e sirva.

Rendimento: 6 porções
Tempo de preparo: 45 minutos + 12 horas de dessalga

Nhoque de batata-doce roxa na manteiga e sálvia

INGREDIENTES

Nhoque
250 g de batata-doce roxa cozida
12 g de açúcar refinado
Noz-moscada a gosto
Pimenta-do-reino a gosto
Sal a gosto
2 g de manteiga sem sal
8 g de gema
50 g de farinha de trigo

Molho
50 g de manteiga
Sálvia a gosto
Sal a gosto

MODO DE PREPARO

1 Asse as batatas em forno a 180 °C, por 1h30 (em média), até que fiquem macias.

2 Retire as batatas do forno e descasque-as ainda quentes.

3 Adicione o açúcar, os temperos e a manteiga.

4 Adicione a gema e resfrie.

5 Acrescente a farinha e modele o nhoque.

6 Pré-cozinhe em água fervente até "boiar", retire e coloque em água com gelo.

7 Aqueça o nhoque e refogue com manteiga e sálvia picada. Corrija o sal.

8 Sugestão: finalize com queijo meia cura.

Rendimento: 2 porções
Tempo de preparo: 2 horas

Arroz mexidinho

INGREDIENTES
Banha de porco
1 cebola branca picada
4 dentes de alho picados
200 g de carne moída (patinho)
40 g de feijão-rosinha cozido
200 g de arroz-agulhinha cozido
20 g de couve-manteiga cortada em tiras finas
Cheiro-verde a gosto
Pimenta biquinho a gosto
150 g de farinha de mandioca fina
Sal a gosto

MODO DE PREPARO

1 Em uma panela preaquecida com a banha de porco, doure a cebola e o alho. Em seguida, acrescente a carne moída e refogue por 10 minutos.

2 Acrescente o feijão, mexa bem e refogue por mais 5 minutos.

3 Adicione o arroz, a couve e o cheiro-verde. Misture.

4 Coloque a pimenta biquinho e finalize com a farinha de mandioca e o sal.

5 Sirva o arroz mexidinho com ovo frito.

Rendimento: 4 porções
Tempo de preparo: 30 minutos

Depois da aula, Chico foi "nadá" no ribeirão com o seu primo Zé Lelé e seus amigos.

No caminho de volta, havia uma goiabeira...
Goiaba é bom por demais! Só que a goiabeira tinha dono...
O Nhô Lau ficou muito brabo com aqueles moleques e "botô eles pra corrê"!

INGREDIENTES

500 g de coxa e sobrecoxa
Óleo
100 g de cebola
15 g de alho
20 g de cenoura
20 g de salsão
15 g de urucum
Pimenta-do-reino a gosto
Pimenta biquinho a gosto
100 ml de caldo de galinha
80 g de farinha de milho
Sal a gosto

Caldo de galinha

1 kg de osso de galinha
1 cabeça de repolho branco
1 cenoura média
2 talos de salsão
5 cebolas brancas
1 nabo pequeno
1 abobrinha média
5 l de água

Farnel de cuscuz de galinha

MODO DE PREPARO

1 Tempere a coxa e a sobrecoxa e doure-as de todos os lados no óleo.

2 Cozinhe até que fiquem macias. Resfrie.

3 Desfie a carne e refogue com a cebola, o alho, a cenoura e o salsão.

4 Após os legumes ficarem macios, adicione o urucum e as pimentas.

5 Cozinhe com o caldo e engrosse com a farinha de milho, até obter um ponto firme. Corrija o sal, se necessário.

6 Coloque no pano de prato, amarre, cozinhe no vapor por 20 minutos e sirva.

Caldo de galinha

1 Lave o osso de galinha.

2 Em uma panela de pressão, coloque o osso e todos os vegetais picados grosseiramente. Cubra com água e cozinhe na pressão por 10 minutos (contados quando começar a chiar).

3 Coe o caldo em uma peneira fina.

Rendimento: 2 porções de cuscuz de galinha; 5 l de caldo de galinha
Tempo de preparo: 40 minutos para o cuscuz de galinha + 40 minutos para o caldo de galinha

Arroz com suã

INGREDIENTES
200 g de suã* sem osso
Azeite
50 g de cebola branca
30 g de alho picado
200 g de repolho picado grosso
100 ml de caldo de porco
40 g de arroz-agulhinha cru
70 g de grão-de-bico
Pimenta biquinho
Sal a gosto
Cheiro-verde

Caldo de porco
1 kg de osso de porco (de preferência, pé e cabeça)
5 cebolas brancas
5 talos de salsão
6 ℓ de água
Sal a gosto
Pimenta-do-reino a gosto
Temperos a gosto

MODO DE PREPARO

1 Refogue a suã no azeite, adicione a cebola, o alho, o repolho e o caldo de porco. Cozinhe sob pressão, por 30 minutos.

2 Assim que estiver macio, adicione o arroz e o grão-de-bico (já cozidos separadamente).

3 Finalize com a pimenta, o sal e o cheiro-verde.

Caldo de porco

1 Torre o osso no forno a 200 °C por 40 minutos.

2 Torre a cebola no forno a 180 °C por 30 minutos.

3 Coloque o osso, a cebola, o salsão e a água em uma panela. Cozinhe em fogo baixo por 24 horas.

4 Coe e reduza o caldo pela metade (por cerca de 7 horas), sempre em fogo baixo.

5 Finalize com sal, pimenta-do-reino e outros temperos a gosto.

Rendimento: 2 porções de arroz com suã; 1 ℓ de caldo de porco
Tempo de preparo: 1 hora para o arroz com suã + 35 horas para o caldo de porco

* Suã, ou assuã, é a parte inferior do lombo do porco.

Macarrão com molho de moela

INGREDIENTES
Azeite
100 g de moela
Sal a gosto
Pimenta-do-reino a gosto
40 g de cebola branca
10 g de alho
5 g de colorau
200 ml de caldo de galinha (receita na p. 23)
20 g de tomate-cereja
15 g de cogumelo eryngui
180 g de macarrão gravatinha
Salsinha a gosto
Cebolinha a gosto
10 g de queijo parmesão ralado fino

MODO DE PREPARO

1 Em uma panela com azeite, doure a moela temperada com sal e pimenta.

2 Adicione metade da cebola, o alho e o colorau, e refogue por mais 5 minutos.

3 Cubra com o caldo de galinha e cozinhe em pressão, por cerca de 40 minutos.

4 Retire a pressão e acrescente o tomate-cereja, o cogumelo e o restante da cebola. Cozinhe por mais 5 minutos.

5 Cozinhe o macarrão e junte a moela à massa. Finalize com a salsinha, a cebolinha, o parmesão e um fio de azeite.

Rendimento: 2 porções
Tempo de preparo: 1 hora

Arroz-doce

INGREDIENTES
1 xícara (chá) de arroz cru
2 xícaras (chá) de água
6 cravos-da-índia
2 paus de canela
1 xícara (chá) de açúcar
1 ℓ de leite integral
Canela em pó para polvilhar

MODO DE PREPARO

1 Coloque o arroz, a água, o cravo-da-índia e a canela em pau em uma panela e leve ao fogo.

2 Quando começar a ferver, abaixe o fogo, tampe a panela e deixe a água secar.

3 Quando secar, o arroz já vai estar molinho, então acrescente o açúcar e o leite, e volte ao fogo.

4 Deixe ferver em fogo baixo e fique mexendo sempre para não grudar no fundo.

5 Assim que engrossar, está pronto. Despeje em uma tigela e polvilhe com canela em pó.

Rendimento: 2 porções
Tempo de preparo: 1 hora

Farofa de içá

INGREDIENTES

1 colher (sopa) de gordura de porco
120 g de içás limpas (retirar a cabeça, o ferrão, as asas e as patinhas)
10 g de alho picado
1 xícara (chá) de farinha de mandioca crua
Sal a gosto
Cebolinha fatiada a gosto

MODO DE PREPARO

1 Em uma frigideira de ferro, coloque a gordura de porco e espere até que esteja bem aquecida.

2 Acrescente as içás e refogue por alguns minutos, até ficarem crocantes.

3 Junte o alho picado e refogue até começar a chiar.

4 Junte a farinha de mandioca, abaixe o fogo e mexa por 3 ou 4 minutos. Desligue o fogo. Acrescente o sal e a cebolinha a gosto.

5 Misture bem e sirva.

Rendimento: 4 porções
Tempo de preparo: 20 minutos

Jacuba

INGREDIENTES
2 xícaras (chá) de café coado forte
3 colheres (sopa) de rapadura ralada
2 colheres (sopa) de farinha de milho

MODO DE PREPARO

1 Coloque o café e a rapadura em uma panelinha e misture bem.

2 Aqueça a panela até que a rapadura derreta.

3 Retire do fogo e misture com a farinha de milho, aos poucos, até o ponto de mingau.

Rendimento: 2 xícaras (chá)
Tempo de preparo: 1 hora

INGREDIENTES

500 g de lambaris miúdos limpos
Sal a gosto
Pimenta-do-reino a gosto
20 g de alho picado
2 limões-cravo
Óleo
4 xícaras (chá) de fubá de milho

MODO DE PREPARO

1 Tempere os lambaris com sal, pimenta, alho e limão-cravo. Reserve.

2 Esquente o óleo em uma panela grande.

3 Enquanto isso, coloque o fubá em uma tigela e empane os lambaris.

4 Frite até dourar, retire da panela com a ajuda de uma escumadeira e deixe escorrer sobre papel-toalha antes de servir.

Rendimento: 4 porções
Tempo de preparo: 40 minutos

Lambari empanado com fubá de milho

Viva Santo Antônio, São Pedro e São João!

Quando chega o mês de junho, é tempo de festança!

Tem muita música caipira pra acompanhar. E tem uma caipirinha que mexe com o coração do Chico... É a Rosinha, "sô"!

Ainda tem canjica, pipoca e "inté" pé de moleque. "Qui gostosura"!
E, pra brincar, tem barraca de argola, de bola e pescaria.

Chico ganhou um prêmio e deu pra sua Rosinha! Depois, eles juntaram todo o "pessoar" e foram dançar quadrilha!

Pé de moleque

INGREDIENTES
2 xícaras (chá) de açúcar
100 ml de água
2 colheres (chá) de glucose de milho
2 ½ xícaras (chá) de amendoim torrado sem pele
Canela em pó a gosto

MODO DE PREPARO

1 Coloque o açúcar e a água em uma panela. Misture bem.

2 Junte a glucose, leve ao fogo e deixe ferver. Cozinhe sem mexer até o açúcar caramelizar e ficar em tom dourado escuro.

3 Junte o amendoim e a canela e mexa bem.

4 Distribua o doce em uma superfície untada formando um retângulo. Alise a parte de cima para que fique uniforme.

5 Deixe o doce esfriar um pouco e corte em retângulos ou como desejar. Utilize uma faca untada com manteiga e não deixe esfriar completamente.

6 Depois de frio, armazene em um pote bem fechado.

Rendimento: cerca de 800 g
Tempo de preparo: 1h30

Canjica com amendoim

INGREDIENTES
500 g de canjica
2 ℓ de água
1 lata de leite condensado
350 g de leite de coco
2 xícaras (chá) de leite
Canela em pau a gosto
10 cravos-da-índia
300 g de amendoim torrado e moído

MODO DE PREPARO

1 Deixe a canjica de molho na água por, no mínimo, 12 horas.

2 Coloque a canjica e a água na panela de pressão e cozinhe por 50 minutos, ou até que fique bem macia.

3 Transfira a canjica para uma panela maior e acrescente o leite condensado, o leite de coco, o leite, a canela e o cravo-da-índia, deixando ferver por 20 minutos.

4 Desligue o fogo, acrescente o amendoim e deixe repousar por alguns minutos antes de servir.

Rendimento: cerca de 3 kg
Tempo de preparo: 2 horas + 12 horas de molho

Bolinho de mandioca com queijo

INGREDIENTES
1 kg de mandioca amarela
50 g de manteiga derretida
3 gemas
Sal a gosto
2 xícaras (chá) de farinha de trigo
200 g de queijo de minas curado em cubos
Óleo

MODO DE PREPARO

1 Descasque a mandioca e cozinhe na panela de pressão até que esteja bem macia. Escorra a água e amasse a mandioca com um garfo até virar um purê.

2 Junte a manteiga derretida e as gemas, misturando bem com uma colher de pau. Acrescente o sal a gosto.

3 Por fim, vá adicionando, aos poucos, a farinha de trigo. Amasse até dar o ponto (deixar de grudar nas mãos).

4 Molde a massa em bolinhos, recheie com os cubos de queijo e frite em óleo quente até dourar.

5 Retire os bolinhos do óleo com uma escumadeira e coloque-os para escorrer sobre papel-toalha.

Rendimento: 6 porções
Tempo de preparo: 50 minutos

Canjiquinha com costelinha de porco

INGREDIENTES

- 1 xícara (chá) de quirera de milho (xerém de milho ou canjiquinha)
- 1 kg de costelinha de porco em pedaços
- Óleo ou banha de porco
- 1 cebola grande picada
- 20 g de alho picado
- 2 tomates sem pele e sem sementes cortados em cubos
- 1 ℓ de caldo de galinha (receita na p. 23)
- 2 folhas de louro fresco
- Sal a gosto
- Salsinha picada a gosto
- Cebolinha fatiada a gosto

MODO DE PREPARO

1 Lave a quirera em água corrente e deixe de molho por 1 hora.

2 Enquanto isso, doure em uma panela grande e pesada os pedaços de costelinha em um fio de óleo ou em banha de porco. Retire da panela com a ajuda de uma escumadeira e reserve.

3 Na mesma panela, refogue a cebola e, depois, o alho. Acrescente o tomate e misture.

4 Escorra a quirera e junte-a à panela.

5 Adicione também os pedaços de costelinha e misture.

6 Cubra com o caldo de galinha (deixe o caldo aproximadamente três dedos acima da quirera).

7 Junte as folhas de louro, abaixe o fogo e tampe parcialmente a panela.

8 Ocasionalmente, revolva a mistura com a ajuda de uma colher de pau para que a quirera não grude no fundo da panela.

9 Quando praticamente todo o caldo tiver sido absorvido pela quirera, prove-a.

10 Descarte as folhas de louro, tempere com sal e acrescente a salsinha e a cebolinha a gosto.

11 Se a quirera estiver muito seca, junte mais uma ou duas conchas de caldo. Misture e sirva a quirera em prato fundo com os pedaços de costelinha por cima.

Rendimento: 6 porções
Tempo de preparo: 1 hora + 1 hora de molho

Quentão para crianças

INGREDIENTES
1 abacaxi maduro
500 ml de suco de abacaxi concentrado
5 l de água
300 g de gengibre
3 paus de canela
1 punhado de cravo-da-índia
Açúcar a gosto

MODO DE PREPARO

1 Descasque o abacaxi, reserve as cascas e corte a fruta em cubos.

2 Em uma panela, acrescente as cascas do abacaxi, o suco concentrado, a água, o gengibre, a canela, o cravo-da-índia e o açúcar, e ferva por 20 minutos.

3 Coe, volte à panela e corrija o açúcar.

4 Acrescente os cubos de abacaxi e sirva quente.

Rendimento: 5 l
Tempo de preparo: 2 horas

Perdido no milharal

É dia de colheita de milho na roça! O milharal do Nhô Lau está lotado de milho. "Qui belezura"!

O Chico ficou tão encantado com a plantação, que acabou se perdendo dos pais...

Quando conseguiu sair do milharal, já era tarde! Então, o Chico voltou correndo pra casa, assustado e com uma fome "di doê".

Assim que chegou, sua mãe já havia preparado uma porção de coisas gostosas com o milho que colheu: pamonha, curau, milho assado...

Pamonha com codeguim

INGREDIENTES
10 espigas de milho-verde
10 colheres (sopa) de manteiga
Sal a gosto
1 colher (sopa) de queijo parmesão ralado
1 pitada de açúcar refinado
10 codeguins*

MODO DE PREPARO
1 Tire os cabelos do milho. Rale as espigas e, com ajuda de uma faca, raspe o sabugo para aproveitar o máximo das espigas.

2 Passe por uma peneira grossa.

3 Junte a manteiga e coloque o sal, o queijo e o açúcar.

4 Faça pacotinhos com palha, encha-os com a mistura e coloque um codeguim por pacotinho. Feche com um pedaço de barbante.

5 Coloque água em uma panela e cozinhe até a palha ficar amarelada.

6 Sirva quente.

Rendimento: 10 porções
Tempo de preparo: 2 horas

* Linguiça fresca de origem italiana feita com carne de porco, couro cozido, gordura e bastante tempero (alho, pimenta, cheiro-verde e noz-moscada).

Pudim de milho-verde

INGREDIENTES
1 xícara (chá) de açúcar para caramelizar
2 xícaras (chá) de leite
3 espigas de milho-verde
1 lata de leite condensado
4 ovos

MODO DE PREPARO

1 Preaqueça o forno a 180 °C.

2 Leve uma panela ao fogo com o açúcar, mexendo sempre até caramelizar, despeje o caramelo em uma fôrma de pudim e reserve.

3 Coloque o leite e o milho no liquidificador, bata bem e coe, utilizando uma peneira.

4 Leve o leite coado de volta ao liquidificador com o restante dos ingredientes e bata bem.

5 Despeje o líquido na fôrma caramelizada e leve ao forno para assar em banho-maria por 40 minutos ou até que o pudim esteja dourado.

6 Deixe esfriar, leve à geladeira e desenforme na hora de servir.

Rendimento: 1 fôrma de 20 cm de diâmetro ou 10 porções
Tempo de preparo: 1 hora + tempo de geladeira

Curau com caruru

INGREDIENTES

Curau
5 espigas de milho-verde
200 ml de leite integral
Açúcar a gosto
Sal a gosto

Caruru com bacon
30 g de bacon
10 g de cebola branca
100 g de folha de caruru

Espuma de parmesão
50 g de queijo parmesão ralado fino
100 ml de leite
2 g de lecitina

MODO DE PREPARO

Curau

1 Corte o milho e bata com o leite.

2 Coe e cozinhe em fogo baixo com o açúcar e o sal, até atingir consistência.

Caruru com bacon

1 Pique bem pequeno o bacon e a cebola e refogue.

2 Cozinhe o caruru em água e depois refogue com a mistura anterior.

Espuma de parmesão

1 Bata no liquidificador o queijo com o leite morno e a lecitina.

2 Coe e bata novamente, para servir apenas a espuma.

3 Em um prato fundo, coloque primeiro o curau, em cima o caruru refogado com bacon, e por fim a espuma.

Rendimento: 3 porções
Tempo de preparo: 40 minutos

Pastel de milho com carne cozida

INGREDIENTES

Pastel
2 xícaras (chá) de fubá de milho torrado
2 xícaras (chá) de farinha de trigo
Sal a gosto
3 xícaras (chá) de água
Óleo

Recheio
Óleo
500 g de patinho moído
200 ml de leite
3 colheres (sopa) de farinha de trigo
2 gemas
160 g de cebola picada
15 g de alho picado
Sal a gosto
2 ovos cozidos
Cheiro-verde a gosto

MODO DE PREPARO

Pastel

1 Em uma tigela grande, coloque o fubá, a farinha de trigo e o sal a gosto.

2 Ferva a água. Depois de fervida, adicione, aos poucos, a água à tigela, misturando sem parar com a ajuda de uma colher de pau, até dar o ponto de massa de pastel.

3 Em seguida, transfira a massa para uma superfície lisa e polvilhada com farinha de trigo. Sove bastante até a massa ficar bem homogênea.

4 Com a ajuda de um rolo de macarrão, abra a massa até ficar bem fina.

5 Com um molde circular, corte a massa e recheie com a carne cozida.

6 Feche os pastéis e deixe descansar na geladeira de um dia para o outro.

7 No dia seguinte, esquente o óleo em uma panela grande.

8 Frite os pastéis até dourar, retire-os do óleo com uma escumadeira e deixe escorrer sobre papel-toalha.

Recheio

1 Em uma panela de pressão, coloque um fio de óleo e refogue o patinho, em pequenas porções, até dourar.

2 Cubra com água e deixe cozinhar sob pressão por 40 minutos (contados quando começar a chiar).

3 Retire a pressão e cheque se a carne está desfiando. Caso contrário, cozinhe na pressão por mais 10 minutos.

4 Passe a carne por um processador para que ela fique bem desfiada. Reserve.

5 Em uma tigela, misture com um garfo o leite, a farinha de trigo e as gemas. Reserve.

6 Em uma panela, refogue em um fio de óleo a cebola e o alho. Junte a carne desfiada e misture bem por 1 minuto.

7 Acrescente a mistura de leite, farinha de trigo e gemas. Mexa com uma colher de pau até a mistura se soltar do fundo da panela.

8 Coloque o sal, os ovos e o cheiro-verde e reserve até esfriar.

9 Use a carne cozida para rechear os pastéis de milho.

Rendimento: 8 porções
Tempo de preparo: 2 horas + tempo de geladeira

Goiabada cascão com requeijão

INGREDIENTES

Goiabada cascão
2 kg de goiaba vermelha graúda e madura
3 1/3 xícaras (chá) de açúcar
1 1/4 xícara (chá) de água

Requeijão
5 ℓ de leite fresco com alto teor de gordura
1/2 copo (americano) de vinagre de álcool
1 ℓ de água
1/2 copo (americano) de creme de leite fresco
Sal a gosto
4 colheres (sopa) de amido de milho
250 g de queijo de minas meia cura ralado

MODO DE PREPARO

Goiabada cascão
1 Descasque as goiabas e reserve as cascas.

2 Corte grosseiramente as frutas descascadas, inclusive o miolo.

3 Bata no liquidificador até obter um purê e passe por uma peneira fina.

4 Coloque o açúcar com a água em uma panela e mexa até adquirir a consistência de uma calda fina.

5 Acrescente o purê de goiaba e ¼ das cascas sem cortar.

6 Cozinhe mexendo sempre com uma colher de pau, até a mistura desgrudar do fundo da panela.

7 Despeje em uma assadeira e deixe esfriar completamente.

Requeijão
1 Ferva 4 ℓ de leite em uma panela, acrescente o vinagre e mexa até começar a talhar.

2 Depois de o leite ter coagulado, passe pela peneira.

3 Em outra panela, ferva a água, desligue o fogo e acrescente a massa peneirada.

4 Mexa para tirar o cheiro forte e passe a massa pela peneira novamente.

5 Ferva 1 ℓ de leite, adicione a massa e misture.

6 Junte o creme de leite e o sal, mexendo até ficar homogêneo.

7 Bata a mistura no liquidificador com o amido de milho e o queijo ralado.

8 Transfira o líquido para uma panela e cozinhe até dar liga (cerca de 5 minutos).

9 Despeje em um prato e sirva com a goiabada cascão.

Rendimento: cerca de 800 g de goiabada; cerca de 2 pratos grandes rasos de requeijão
Tempo de preparo: 2 horas para a goiabada + 3 horas para o requeijão

INGREDIENTES
1 ovo
1 copo (americano) de leite
½ copo (americano) de óleo
1 copo (americano) de açúcar
1 copo (americano) de fubá
1 copo (americano) de farinha de trigo
1 colher (sopa) de fermento em pó
Erva-doce a gosto
Goiabada em pedaços

MODO DE PREPARO
1 Misture no liquidificador o ovo, o leite, o óleo, o açúcar e o fubá, batendo bem.

2 Despeje a mistura em uma tigela e adicione a farinha, o fermento em pó e a erva-doce, mexendo bem.

3 Despeje parte da massa em uma fôrma untada com manteiga e polvilhada com farinha, e acrescente uma camada de goiabada. Repita esse processo até preencher toda a fôrma.

4 Leve ao forno médio (180 °C), preaquecido, por 40 minutos, ou até que, ao espetar um palito de dente, ele saia limpo.

Rendimento: 1 fôrma redonda de 20 cm de diâmetro
Tempo de preparo: 1h30

Bolo de fubá com goiabada

Carne de porco na lata

INGREDIENTES
1 leitão limpo (6 kg) picado em pedaços médios
2 ramos de alecrim
3 ramos de tomilho
2 folhas de louro
1 cebola roxa picada grosseiramente
4 dentes de alho picados
Sal a gosto
1 colher (chá) de pimenta-do-reino em grãos
3 l de banha de porco

MODO DE PREPARO

1 Tempere o leitão com as ervas, a cebola, o alho, o sal e a pimenta em grãos.

2 Em uma panela preaquecida com um pouco da banha, doure os pedaços de leitão.

3 Em seguida, coloque o restante da banha e deixe cozinhar em fogo baixo por 2 horas. Desligue o fogo e deixe esfriar. Não é preciso guardar em geladeira, porque a banha conserva a carne de porco.

Rendimento: 15 porções
Tempo de preparo: 2h30

Sorvete de cambuci

INGREDIENTES

Calda
150 ml de água
50 g de glucose
150 g de açúcar

Sorvete
600 g de polpa de cambuci
50 ml de suco de limão

MODO DE PREPARO

1 Ferva os ingredientes para a calda e deixe cozinhar por 3 minutos.

2 Depois que a calda estiver fria, junte a polpa de cambuci e o suco de limão, mexendo até ficar homogêneo.

3 Coloque na sorveteira.

Rendimento: 1 ℓ
Tempo de preparo: 2 horas

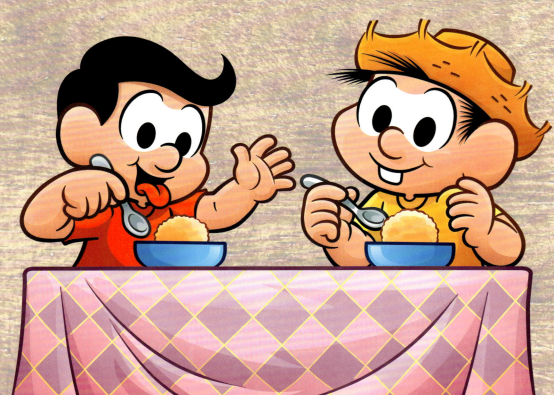

Arroz de rabada

INGREDIENTES
50 g de cebola
10 g de alho
50 ml de azeite
250 g de rabada cozida sem osso
400 ml de caldo do cozimento da rabada
100 g de arroz-agulhinha
Pimenta biquinho a gosto
50 g de miniagrião
Cheiro-verde a gosto
Sal a gosto

MODO DE PREPARO

1 Em uma panela, doure a cebola e o alho com azeite.

2 Acrescente a rabada desfiada e o caldo. Deixe ferver, abaixe o fogo e acrescente o arroz.

3 Cozinhe por 20 minutos, até o arroz ficar macio.

4 Finalize com a pimenta biquinho, o miniagrião e o cheiro-verde, ajuste o sal e sirva.

Rendimento: 2 porções
Tempo de preparo: 40 minutos

INGREDIENTES

Bigole (espaguete fresco)
500 g de farinha de sêmola
500 g de farinha de trigo 00
500 g de gema
7 g de aliche

Molho de tomate
Azeite
10 g de alho picado
40 g de cebola picada
800 g de tomate pelado
Sal a gosto
Açúcar a gosto
20 g de manjericão

MODO DE PREPARO

Bigole
1 Misture todos os ingredientes e guarde a massa sob refrigeração por 6 horas.

2 Abra a massa no bigolaro ou na masseira.

Molho de tomate
1 Refogue no azeite o alho e a cebola picados, adicione o tomate espremido com as mãos e, aos poucos, junte o suco do tomate espremido.

2 Acrescente o sal e o açúcar a gosto, e o manjericão.

Finalização
1 Cozinhe a massa em água fervente por 4 minutos e sirva com molho de tomate.

Rendimento: 5 porções
Tempo de preparo: 50 minutos + 6 horas de geladeira

Macarrão com molho de tomate

INGREDIENTES
50 g de feijão-roxinho
1 folha de louro
Sal a gosto
10 g de cebola
10 g de bacon
20 g de caldo de porco (receita na p. 24)
1 codeguim médio (ver nota na p. 54)
10 g de folha de mostarda
Azeite

MODO DE PREPARO

1 Cozinhe o feijão com a folha de louro e o sal.

2 Refogue a cebola, o bacon e os grãos do feijão.

3 Adicione o caldo do feijão, o caldo de porco e o codeguim.

4 Sirva com a folha de mostarda refogada no azeite.

Rendimento: 1 porção
Tempo de preparo: 40 minutos

Feijão com codeguim e mostarda

Afogado ou "fogado"

INGREDIENTES

6 colheres (sopa) de gordura de porco
2 kg de canela de boi (ossobuco) em pedaços
Sal a gosto
150 g de cebola picada
20 g de alho picado
1 colher (sopa) de colorau
Folhas de hortelã-pimenta picadas a gosto
Folhas de alfavaca picadas a gosto
Salsinha picada a gosto
Cebolinha fatiada a gosto
12 colheres (sopa) de farinha de mandioca

MODO DE PREPARO

1 Em uma panela grande e pesada, coloque a gordura de porco para esquentar. Tempere os pedaços de carne com sal e doure, aos poucos, na gordura de porco. Retire e reserve.

2 Na mesma panela, refogue a cebola e, em seguida, o alho e o colorau.

3 Retorne à panela os pedaços de carne. Cubra-os com água e tampe a panela. Cozinhe por aproximadamente 2 horas ou até que a carne esteja bem macia. Durante o cozimento, caso seja necessário, adicione água quente.

4 Junte as folhas de hortelã-pimenta e de alfavaca, a salsinha e a cebolinha. Ferva com a panela destampada por 20 minutos. Por fim, corrija o sal.

5 No momento de servir, coloque 2 colheres (sopa) de farinha de mandioca no fundo do prato. Por cima, derrame uma concha do caldo e misture bem até virar um pirão. Acrescente os pedaços de carne e saboreie a receita.

Rendimento: 6 porções
Tempo de preparo: 2h30

Leitoa assada

INGREDIENTES
10 ℓ de água
1 kg de sal
2 ramos de alecrim
2 ramos de tomilho
1 colher (café) de pimenta-do-reino
4 dentes de alho picados grosseiramente
1 leitoa limpa (cerca de 7 kg)

MODO DE PREPARO

1 Faça uma salmoura com a água e o sal.

2 Acrescente as ervas, a pimenta-do-reino e o alho.

3 Coloque a leitoa na salmoura e deixe por 2h30.

4 Retire a leitoa da salmoura, seque bem com papel-toalha e asse em forno a 180 °C, até que fique macia, dourada e crocante.

5 Sirva em seguida.

Rendimento: 10 porções
Tempo de preparo: 3 horas + 2h30 de salmoura

Vaca atolada

INGREDIENTES
100 ml de óleo
1 kg de costela de boi em pedaços
Sal a gosto
180 g de cebola picada
10 g de alho picado
Suco de 1 limão
2 tomates picados em cubos
2 folhas de louro
800 g de mandioca amarela descascada e cortada em pedaços
Salsinha picada a gosto
Cebolinha fatiada a gosto

MODO DE PREPARO

1 Em uma panela grande, coloque o óleo e deixe esquentar.

2 Tempere os pedaços de costela com sal. Doure-os, em pequenas porções, na panela. Reserve.

3 Refogue na mesma panela a cebola e, depois, o alho.

4 Junte o suco do limão e misture.

5 Acrescente à panela os tomates picados, os pedaços de costela e as folhas de louro.

6 Cubra com água e cozinhe por cerca de 90 minutos, ou até que a carne esteja bem macia.

7 Junte a mandioca e deixe cozinhar com a panela destampada até que ela fique macia.

8 Corrija o sal e a textura do caldo.

9 Caso seja necessário, com a ajuda de uma escumadeira, amasse um dos pedaços de mandioca para engrossar o caldo.

10 Junte a salsinha e a cebolinha, verifique novamente o sal e sirva em um prato fundo.

Rendimento: 4 porções
Tempo de preparo: 2 horas

Rabanada

INGREDIENTES
1 baguete de pão francês ou 4 pães franceses
2 xícaras (chá) de leite
1 lata de leite condensado
3 ovos batidos
1 pitada de canela em pó
Óleo de girassol
Açúcar a gosto

MODO DE PREPARO
1 Corte a baguete em fatias médias.

2 Em um refratário, misture o leite com o leite condensado e mergulhe as fatias de pão até que elas estejam bem molhadinhas.

3 Em outro refratário, bata os ovos e adicione a canela.

4 Passe as fatias de pão molhadas de leite nos ovos batidos.

5 Frite em óleo quente e escorra as rabanadas em papel-toalha.

6 Em seguida, passe em um refratário com canela e açúcar a gosto.

Rendimento: 15 a 20 fatias
Tempo de preparo: 1 hora

INGREDIENTES

2 kg de figo verde para doce
1 colher (sopa) de bicarbonato de sódio
1 kg de açúcar

MODO DE PREPARO

1 Fervente os figos na água com bicarbonato. Retire do fogo e coloque para congelar na água do cozimento.

2 Retire os figos do congelador, deixe que descongelem um pouco e remova a pele dos frutos.

3 À parte, faça uma calda de uma parte de açúcar com uma parte de água. Coloque os figos e cozinhe em fogo baixo até ficarem macios.

4 Deixe esfriar na calda.

Rendimento: 3 ℓ com as frutas
Tempo de preparo: 6 horas + tempo de congelador

Doce de figo verde em calda

Doce cristalizado de abacaxi

INGREDIENTES
1 abacaxi
1 kg de açúcar
1 ℓ de água

MODO DE PREPARO

1 Corte o abacaxi em rodelas ou em pedaços, como preferir.

2 Faça uma calda com o açúcar e a água.

3 Cozinhe o abacaxi na calda até que ele esteja bem cozido, porém firme. Deixe descansar na calda por uma noite.

4 No dia seguinte, ferva a compota e retire os pedaços de abacaxi com cuidado.

5 Reduza a calda no ponto de fio.

6 Passe os pedaços de abacaxi, um por um, na calda. Coloque-os em uma assadeira forrada com papel-manteiga e deixe secar ao sol ou em lugar quente sem umidade.

7 Sirva ou guarde em um recipiente bem fechado.

Rendimento: cerca de 2 kg
Tempo de preparo: 2 horas + uma noite na calda + tempo de secagem

Doce de banana

INGREDIENTES
2 kg de banana-nanica sem a casca
1 kg de açúcar refinado
1 pedaço de fava de baunilha (opcional)
Açúcar para polvilhar

MODO DE PREPARO
1 Coloque todos os ingredientes em uma panela ou em um tacho.

2 Leve ao fogo brando até começar a desmanchar, misturando para que fique tudo bem uniforme e cremoso.

3 Mexa até começar a soltar do fundo da panela e deixe cozinhar por mais 10 minutos.

4 Coloque em um tabuleiro, deixe esfriar, corte em tiras e polvilhe com açúcar antes de servir.

Rendimento: cerca de 2,5 kg
Tempo de preparo: 2 horas

Furrundum

INGREDIENTES
5 mamões médios bem verdes
5 rapaduras simples (1,5 kg)
1 pedaço de gengibre (cerca de 7 cm) ralado

MODO DE PREPARO

1 Abra os mamões ao meio, retire as sementes e lave-os bem.

2 Com a ajuda de um ralador grosso, rale os mamões, coloque-os em uma panela grande ou em um tacho, cubra-os com água e leve ao fogo forte, deixando ferver por 30 minutos.

3 Passe o mamão para um saco de pano e lave-o em água corrente, amassando e espremendo até esfriar.

4 Corte as rapaduras em pedaços e leve-as ao fogo com o mamão, mexendo de vez em quando até derreter. Nesse ponto, mexa até que a colher de pau faça aparecer o fundo da panela.

5 Acrescente o gengibre ralado, misture o doce e retire do fogo.

6 Deixe esfriar e guarde na geladeira, em recipientes com tampa.

Rendimento: cerca de 3 kg
Tempo de preparo: 1 hora

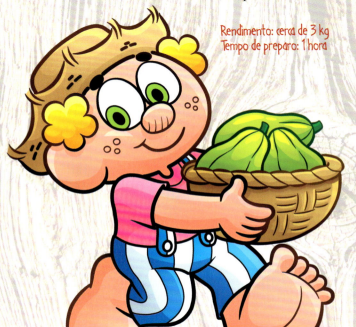

INGREDIENTES
2 kg de batata-doce cozida e passada no espremedor
1 kg de açúcar

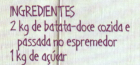

MODO DE PREPARO
1 Misture os dois ingredientes e leve ao fogo em uma panela ou um tacho, mexendo até soltar do fundo da panela por completo.

2 Bata bem com uma colher e depois, com o auxílio de duas colheres, vá retirando a massa e colocando em tabuleiros para secar.

Rendimento: cerca de 3 kg
Tempo de preparo: 30 minutos + tempo de secagem

Doce de batata-doce roxa ou branca

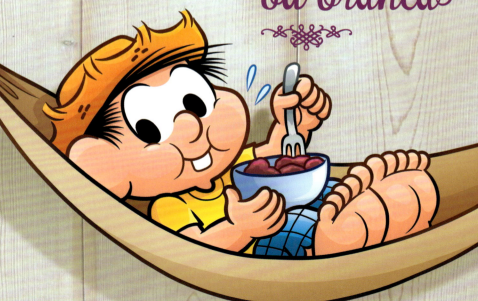

Canja de galinha caipira

INGREDIENTES
40 ml de óleo
1 galinha caipira
1 cebola picada fina
8 dentes de alho picados
1 ℓ de água
1 folha de louro
500 ml de caldo de galinha (receita na p. 23)
150 g de arroz-agulhinha cru
60 g de batata ralada
60 g de abobrinha ralada
60 g de cenoura ralada
60 g de vagem cortada fina
3 tomates picados sem pele e sem sementes
Cheiro-verde a gosto
Pimenta-do-reino a gosto
Sal a gosto

MODO DE PREPARO

1 Em uma panela de pressão preaquecida com óleo, doure a galinha e, em seguida, acrescente a cebola e o alho, refogando por mais 5 minutos.

2 Acrescente a água e a folha de louro, e cozinhe na pressão por 40 minutos. Retire da pressão e separe a carne do caldo.

3 Desfie a carne da galinha, separando pele e osso.

4 Junte a carne e o caldo em uma panela e volte ao fogo. Deixe ferver, abaixe o fogo e acrescente o arroz e os vegetais.

5 Cozinhe por 20 minutos, mexendo de vez em quando.

6 Adicione o cheiro-verde e a pimenta, ajuste o sal e sirva.

Rendimento: 5 porções
Tempo de preparo: 1h30

Nasceu na hora certa!

Quem não gosta de comer ovos pela manhã?
Na roça, o ovo vem direto do galinheiro.

E que ovão, hein?
Vai dar uma baita omelete,
se a Giselda deixar!

INGREDIENTES
20 g de cebola branca
50 g de miniarroz
3 g de alho picado
20 g de carne-seca desfiada
Sal a gosto
5 g de manteiga
20 g de farinha de mandioca flocada

Gema curada
1 gema
1 ℓ de água
10 g de sal
Óleo

Finalização
10 ml de caldo de feijão

MODO DE PREPARO
1 Com 10 g da cebola, refogue o arroz, o alho e a carne. Acrescente água e sal, e cozinhe até ficar macio e soltinho.

2 Com o restante da cebola, refogue na manteiga a farinha de mandioca flocada. Adicione sal a gosto.

Gema curada
1 Deixe a gema em salmoura (água e sal) por 15 minutos e, depois, passe para o óleo em fogo bem baixo, até que a gema fique firme por fora e mole por dentro.

Finalização
1 Coloque o arroz no centro do prato. Por cima do arroz, coloque a farinha de mandioca e a gema, regue com o caldo de feijão ao lado do arroz e sirva.

Rendimento: 1 porção
Tempo de preparo: 1 hora

Arroz com feijão e gema de ovo

Galinha ao molho pardo

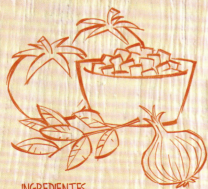

INGREDIENTES
1,5 kg de galinha caipira
200 ml de sangue de galinha
4 colheres (sopa) de suco de limão
250 g de banha de porco
2 folhas de louro
160 g de cebola picada
20 g de alho descascado e inteiro
2 tomates sem pele e sem sementes picados em cubos pequenos
Cebolinha a gosto
Sal a gosto
Pimenta-do-reino a gosto
2 colheres (sopa) de amido de milho
Salsinha a gosto

MODO DE PREPARO

1 Ao abater a ave, recolha o sangue em um prato fundo, misturando com o suco de limão e mexendo sempre, para que não fique coagulado. Reserve.

2 Limpe a galinha e corte-a em pedaços.

3 Em uma panela de barro, aqueça a banha e acrescente o louro, a cebola, o alho, o tomate, a cebolinha, o sal, a pimenta e os pedaços de galinha.

4 Cozinhe lentamente, mexendo de vez em quando. Coloque água fervente conforme a necessidade.

5 Quando a galinha estiver cozida, e ainda com certa quantidade de molho, acrescente o sangue aos poucos, mexendo sempre.

6 Acrescente o amido dissolvido em água fria, até que o molho fique na consistência desejada.

7 Finalize com a salsinha e sirva com polenta ou angu quente.

Rendimento: 4 porções
Tempo de preparo: 1 hora

Dobradinha com pão

INGREDIENTES
300 g de dobradinha limpa
Azeite
30 g de alho picado
100 g de cebola branca
40 g de linguiça de porco defumada
Folha de louro a gosto
Tomilho a gosto
Pimenta-do-reino a gosto
Sal a gosto
50 g de extrato de tomate
70 g de tomate concassé
5 g de pimenta biquinho
50 g de caldo de carne
Cheiro-verde a gosto

MODO DE PREPARO

1 Limpe a dobradinha e cozinhe em água até que fique macia. Escorra.

2 Refogue rapidamente no azeite o alho, a cebola, a linguiça e a dobradinha e, depois, acrescente o restante dos ingredientes, exceto o cheiro-verde.

3 Finalize com o cheiro-verde e sirva com pão italiano.

Rendimento: 2 porções
Tempo de preparo: 2 horas

Virado à paulista

INGREDIENTES

Purê de feijão
40 g de cebola branca
10 g de alho picado
30 ml de azeite
400 ml de caldo de feijão
50 g de farinha de mandioca

Purê de couve
200 g de couve
240 ml de água
1 g de goma xantana

Tartar de banana
110 g de banana-nanica
5 ml de azeite
10 g de cebola roxa
5 g de pimenta biquinho
Sal a gosto
30 ml de limão
Cebolinha-francesa

Leitão
500 ml de água
50 g de sal
1 folha de louro
Tomilho a gosto
200 g de leitão limpo
Óleo

Ovo de codorna
2 ovos de codorna

Finalização
Linguiça caseira de porco grelhada
Flor-de-mel

Molho
150 g de caldo de porco (receita na p. 24)

MODO DE PREPARO

Purê de feijão
1 Refogue a cebola e o alho no azeite, adicione o caldo de feijão, aqueça e engrosse a mistura com a farinha. Cozinhe até o caldo ficar espesso, e a farinha, cozida.

Purê de couve
1 Escalde a couve e bata no liquidificador com água morna até o purê ficar homogêneo. Engrosse com a goma xantana.

Tartar de banana
1 Corte as bananas em cubos pequenos e misture com todos os outros ingredientes.

Leitão
1 Misture a água e o sal, acrescente o louro e o tomilho, e deixe o leitão na salmoura por 1 hora.

2 Retire o leitão da salmoura, porcione e sele a carne em uma frigideira com um pouco de óleo.

Ovo de codorna
1 Cozinhe os ovos inteiros por 30 minutos a 82 °C.

2 Retire a casca e a clara e fique apenas com a gema.

Finalização
1 Com todos os itens prontos, monte o prato na seguinte ordem: um risco de purê de couve, o purê de feijão no fundo do prato, o leitão selado, o tartar de banana, a gema de ovo de codorna, a linguiça caseira de porco, a flor-de-mel e o molho de caldo de porco.

Rendimento: 2 porções
Tempo de preparo: 1 hora

SOBRE O AUTOR
Jefferson Rueda

Um dos maiores *chefs* da gastronomia nacional, Jefferson Rueda nasceu em São José do Rio Pardo, interior de São Paulo. Durante dois anos trabalhou como açougueiro em sua cidade natal, onde aprendeu a destrinchar bovinos e suínos, habilidade de que se orgulha. Aos 17 anos, Jefferson formou-se *chef* internacional pelo Senac, em convênio com o Culinary Institute of America, e então mudou-se para São Paulo, onde trabalhou em alguns dos principais restaurantes da cidade.

Na Europa, estagiou no Apicius, entre outras casas, e em 2003 representou o Brasil no Bocuse D'Or em Lion, na França. Passou uma temporada em cozinhas renomadas, como a do El Celler de Can Roca, de Can Fabes e de Santi Santamaria. Também estagiou em duas pequenas fábricas de embutidos – Els Casals e Buti Fajas –, fazendas orgânicas que se dedicam a criar porcos e que produzem, além da ração, os melhores *jamóns* do mundo.

No Brasil, Rueda inaugurou o restaurante Madeleine, trabalhou no Parigi e inaugurou também o Pomodori, em São Paulo, o qual chefiou até 2011. Em 2008, abriu o Bar da Dona Onça junto de sua esposa e *chef* Janaina Rueda, no qual permanece como consultor. De 2011 a 2015, esteve à frente do Attimo, também em São Paulo.

Em 2015, o *chef* comemorou 20 anos de carreira e alçou seu novo voo com A Casa do Porco Bar, local em que reúne toda a experiência adquirida ao longo de sua vida. Rueda busca uma nova forma de cozinhar e, portanto, A Casa do Porco Bar é um açougue-bar, onde a carne de porco – a mais versátil e democrática do mundo – é a maior protagonista, apresentada em receitas com influências do mundo todo. O prato Porco à San Zé, estrela da casa, é assado na brasa dentro da cozinha por sete horas.

Ao longo de seus 20 anos de carreira, Rueda conquistou vários prêmios nacionais e internacionais – entre eles, um lugar na lista dos "50 Best Latin America" ("50 Melhores Restaurantes da América Latina") e uma estrela no Guia Michelin. Em 2016, foi eleito Chef do Ano pela revista *Prazeres da Mesa*, e atualmente recebe mais de 13 mil pessoas por mês em seus restaurantes.

Agradecimentos

Brechó da Construção
Av. Maria Aparecida Salgado
Braghetta, 3.909
São José do Rio Pardo – SP
Tel.: (19) 3608-1594

Antiquário Treviso
Rua Guaraiúva, 299
São Paulo – SP
Tel.: (11) 5506-6516

Lá de Minas
Rua Califórnia, 1.170
São Paulo – SP
Tel.: (11) 5535-4805

Índice de receitas

Afogado ou "fogado", 82
Arroz com feijão e gema de ovo, 108
Arroz com suã, 24
Arroz de rabada, 76
Arroz-doce, 29
Arroz mexidinho, 18
Bolinho de mandioca com queijo, 47
Bolo de fubá com goiabada, 68
Canja de galinha caipira, 104
Canjica com amendoim, 45
Canjiquinha com costelinha de porco, 48
Carne de porco na lata, 72
Curau com caruru, 58
Dobradinha com pão, 114
Doce cristalizado de abacaxi, 94
Doce de banana, 96
Doce de batata-doce roxa ou branca, 100
Doce de figo verde em calda, 93
Farnel de cuscuz de galinha, 23
Farofa de içá, 32
Feijão com codeguim e mostarda, 81
Furrundum, 99
Galinha ao molho pardo, 111
Goiabada cascão com requeijão, 66
Jacuba, 37
Lambari empanado com fubá de milho, 38
Leitoa assada, 86
Macarrão com molho de moela, 26
Macarrão com molho de tomate, 78
Nhoque de batata-doce roxa na manteiga e sálvia, 17
Paçoca de carne-seca, 14
Pamonha com codeguim, 54
Pastel de milho com carne cozida, 62
Pé de moleque, 42
Pudim de milho-verde, 57
Quentão para crianças, 50
Rabanada, 90
Sorvete de cambuci, 74
Vaca atolada, 88
Virado à paulista, 117